Thé Tjong-Khing, 1933 in Indonesien geboren,
begann sein Kunststudium an der Zeichenakademie Bandung
und führte es 1956 an der Kunstgewerbeschule Amsterdam fort.
Seit den 1960er Jahren illustriert er Kinderbücher.
Die Geschichten um *Fuchs und Hase,* die in den Niederlanden mit dem Goldenen Pinsel
ausgezeichnet wurden, zählen dort zu seinen bekanntesten Werken.
2010 wurde er mit dem Max-Velthuijs-Preis für sein Lebenswerk ausgezeichnet.

Im Moritz Verlag liegen von Thé Tjong-Khing vor:

Die Torte ist weg!
– ausgezeichnet mit dem Silbernen Pinsel und
nominiert für den Deutschen Jugendliteraturpreis –
Picknick mit Torte
Geburtstag mit Torte
Kunst mit Torte
sowie das ebenfalls textlose Bilderbuch
Hieronymus. Ein Abenteuer in der Welt des Hieronymus Bosch,
– nominiert für den Deutschen Jugendliteraturpreis –

Mein Dank an Erik

7. Auflage, 2018

Die niederländische Ausgabe erschien 2005 unter dem Titel
Picknick met taart bei Uitgeverij Lannoo, Tielt

Druck: Publikum, Belgrad
Printed in Serbia
ISBN 978 3 89565 192 2
www.moritzverlag.de

Thé Tjong-Khing

Picknick mit Torte

Moritz Verlag
Frankfurt am Main